D0389258

Winx Club
Découvre la
Musique
ec Musa
HACHETTE
Jeunesse

Winx
CLUB

Winx Club™ © 2005 Rainbow Srl. Tous droits réservés.
Titre de l'édition originale : *Scopri la Musica con Musa*

© 2005, Hachette Jeunesse pour l'édition française. Tous droits réservés.

Adaptation française : Claire Breton
Mise en page : **kumquat**®

ISBN : 2.01.22.5008.4
Dépôt légal : n° 56032 – mai 2005 - édition 1
Loi n° 49-956 du 16 juillet 1949 sur les publications destinées à la jeunesse.
Imprimé chez Editoriale Lloyd en Italie.

RETIRÉ DE LA COLLECTION UNIVERSELLE
Bibliothèque et Archives nationales du Québec

Découvre la Musique

avec

Sommaire

Quelle fille je suis

Je pense que tu me connais... Sinon, tu ne feuilleterais pas ces pages comme un livret de CD ! De quoi se compose cet album ? Voici les principaux titres : Présentations ; Sincérité ; Complicité ; Un voyage ensemble ; Un peu de saine culture ; Quelques éclats de rire ; et... Amies pour la vie ! Je n'ai qu'un bémol à ajouter : amies pour la vie, oui, mais seulement si nous sommes liées par... l'amour de la musique ! Sinon, impossible. D'accord à 100 % ? Génial ! Tu es la lectrice de mes rêves.

Je me présente : j'ai 16 ans et je viens de Melody, le royaume de la musique. Inutile de te dire quels sont mes passe-temps préférés, je te fais confiance, petite curieuse ! Je plaisante, oooh... Les autres Winx disent que j'ai un grand sens de l'humour... Peut-être qu'elles ont raison... ça me vient de l'intérieur, comme la musique qui rythme mes journées. Sans rythme, ma vie sonnerait... faux !

Une autre de mes caractéristiques ? Figure-toi que j'ai un **code moral** inflexible. Eh oui, déjà, si jeune ! Et je t'en prie, ne fais pas comme Stella ! Quand j'ai dit ça, elle a écarquillé ses grands yeux noisette en disant : « Un code quoi ? » Moi, j'ai planté mon regard dans le sien et lui ai répondu : « C'est un concept trop compliqué pour toi, il me faudrait au moins un an pour te l'expliquer. »

Passeport pour l'autre dimension

(version magique des papiers terrestres)
yeux : noirs et brillants
cheveux : noir bleuté avec deux couettes toujours en l'air
signes particuliers : âme très tendance
âge : 16 ans
mission : diffuser l'équilibre et le rythme magiques de la musique avec énergie et passion

Grand silence... Puis les quatre Winx ont éclaté de rire, y compris Stella ! Et moi, j'étais submergée de joie : elles avaient tout de suite compris que je plaisantais.

Voici quelques règles de mon code moral : je respecte les autres comme moi-même ; je garde jalousement les secrets qu'on me confie ; je m'efforce de toujours terminer ce que je commence ; je crois profondément en l'amitié.

Hein, quoi ? Tu veux connaître mes défauts ? Tu as raison, mais c'est quand même particulièrement désagréable...

Enfin, d'accord, voilà : je suis trop impulsive, lunatique, très réservée, pas assez réfléchie. Mais si, pour toi comme pour moi, la musique est une question de vie ou de mort, suis-moi au bout du monde : je serai ta... muse* !

Info magique !

Les neuf **muses**, divinités de l'Antiquité grecque, étaient les filles de Zeus et Mnémosyne (déesse de la Mémoire). Chacune d'entre elles protégeait et inspirait un art ou une science : Calliope, muse de la poésie épique ; Euterpe, des fêtes ; Clio, de l'histoire ; Thalie, de la comédie ; Melpomène, du chant et du théâtre ; Terpsichore, de la danse ; Érato, du mariage ; Uranie, de l'astronomie ; Polymnie, du discours.

Moi en fée !

Et voilà le meilleur... la transformation ! Que dire... Tu as déjà entendu le super jingle* qui résonne à chaque transformation des Winx ? Mon costume n'est pas mal non plus : très court, rouge cerise, brillant, avec un léger voile de tulle pour cacher le nombril.

Et qu'est-ce que tu dis de mes bottes ? Rouges elles aussi, montant jusqu'aux genoux, avec de très hauts talons. Le tout est complété par des écouteurs dernier cri* (j'adore) et deux fines ailes bleutées.

Ce que je préfère dans mon look de fée ? Sans hésitation, les écouteurs violets grâce auxquels je suis en contact permanent avec les rythmes musicaux de mon cœur, même quand je combats des monstres effrayants.

Au début de l'année scolaire, Stella est entrée dans ma chambre et m'a déclaré d'un air entendu : « Ma chère Musa, je tiens à te faire mes compliments pour ton look irréprochable. » Moi, qui n'y connais pas grand-chose en matière de look, j'ai écarquillé les yeux et lui ai répondu : « Quel look ?! » Et elle : « Ne sois pas modeste. Je parle de ton style quand tu es en fée. Alors j'ai répliqué : « Je me demande comment tu peux dire que je suis modeste, puisque tu ne connais pas la modestie... » Après quelques instants de silence, je me suis approchée d'elle, j'ai souri, et ma blonde préférée a ajouté : « La modestie est une perte de temps quand les capacités sont visibles aux yeux de tous. » Et puis nous sommes restées dans ma chambre à papoter vêtements, maquillage, chaussures (ses passions) ; sons, rythmes et mélodies (les miennes)... et de ma transformation qui, selon elle, est « très tendance ».

Winx CLUB

Qu'est-ce que la musique ?

Il est difficile de trouver une définition simple et complète ! Je pense que le plus juste est de dire que c'est un **langage universel** qui, grâce aux sons, réussit à parler à tout le monde. De même que la danse parle avec la magie des mouvements, et la peinture avec celle des couleurs ! Depuis combien de temps elle existe ? **Il y a des millions d'années,** les premiers hommes de la Terre découvrirent les sons infinis de la nature : le chant des oiseaux, le crépitement de la pluie, le bruissement des feuilles... mais surtout, en modulant des plaintes et des cris venus du plus profond de leur cœur, ils découvrirent... les premières expressions musicales !

Les sons suscitèrent de telles émotions chez ces êtres primitifs (façon de parler) qu'immédiatement, ils leur attribuèrent des pouvoirs surnaturels. Rends-toi compte : le mot « enchantement » dérive de... « chant ».

Eh oui, magie et musique ont toujours été étroitement liées. Depuis cette époque, chants, sons et danses ont accompagné les rites religieux et magiques avec lesquels on essayait de gagner la faveur des dieux pour les récoltes, la chasse, les batailles, la paix...

La mythologie... en musique !

La mythologie a créé de nombreux personnages et légendes sur la musique. Apollon, le dieu de la Beauté et de la Lumière des anciens Grecs, était également le protecteur de la musique et des arts ; le son de sa lyre* apportait l'harmonie à toute la nature.

Pan était célèbre, lui aussi : dieu des Bergers et des Troupeaux, il était doté de jambes de bouc et de deux petites cornes sur la tête. Sa distraction favorite ? Jouer de sa flûte et courtiser les nymphes. Le mont Olympe, noble demeure des dieux grecs, abritait également les 9 muses, symboles des arts, qui passaient leur temps (les bienheureuses) à danser, jouer et chanter, faisant oublier aux hommes leurs peines et leurs maux.

Je vais te raconter quelques-unes de ces histoires fabuleuses... comme ça, tu comprendras mieux pourquoi on parle de l'antique magie de la musique !

Le mythe d'Orphée et d'Eurydice

Orphée, le fils de la muse Calliope, joue de la lyre de manière quasi-divine. Le jour de son mariage, la belle Eurydice, sa jeune épouse qu'il aime plus encore que la musique, est mordue par un serpent venimeux et meurt sous ses yeux. Fou de douleur, Orphée entreprend d'aller chercher son amour perdu aux Enfers*. Charmés par le son et les mélodies de sa lyre, les dieux l'autorisent à y pénétrer... mais il ne pourra ramener Eurydice à la vie qu'à une seule condition : ne jamais poser les yeux sur elle tout le temps que durera le long voyage de retour vers la surface de la Terre. Malheureusement, Orphée ne résiste pas et, l'espace d'un très court instant, se retourne pour regarder sa bien-aimée. Immédiatement, Eurydice est à nouveau précipitée au fond des enfers... et Orphée se retrouve seul avec sa musique magique.

Apollon et Hermès

Le poète Alcée* raconte que, quand il était encore enfant, Hermès, le dieu de l'Intelligence et du Progrès, captura une grosse tortue, conserva sa carapace et y tendit quelques cordes faites en boyaux de mouton. C'est ainsi que naît la lyre au son si délicat. À compter de ce jour, Hermès ne se déplace plus jamais sans elle. Un beau jour, en Grèce, il croise Apollon occupé à garder les troupeaux des dieux... et, pour plaisanter, il lui vole 50 bêtes. Mais peu de temps après, Apollon l'attrape et exige qu'il lui donne sa lyre en guise d'excuse. Apollon devient alors si habile et aime tant le son et les mélodies qu'il tire de cet instrument qu'il finit par devenir le dieu de la Musique et de la Poésie.

Apollon et Marsyas

Marsyas est un satyre, c'est-à-dire un être mi-bouc, mi-homme. Malgré son physique ingrat, Marsyas joue merveilleusement de l'*aulos*, une double flûte répandue dans la Grèce antique. Mais il est également très présomptueux, et ose défier Apollon en affirmant qu'il joue mieux que lui ! Apollon relève le défi et... gagne (c'est le dieu de la musique, oui ou non ?). Mais, vexé et en colère, il punit cruellement Marsyas qui, quel que soit son talent, n'en aura jamais autant qu'un dieu !

La **lyre** est un instrument à cordes particulièrement utilisé dans la Grèce antique, constitué d'une table d'harmonie d'où partaient deux bras reliés en haut par une baguette.

Les **Enfers** de la mythologie gréco-romaine ne sont pas les mêmes que l'Enfer des chrétiens.

Alcée est un poète lyrique grec qui a vécu au VIIe siècle avant Jésus-Christ.

Musicomane* ou musicophile**

Test élaboré par Musa.
Choisis entre les réponses a et b puis compte quelle lettre tu obtiens le plus souvent pour découvrir ton profil.

Test

Dans ta chambre...

a) tu as fait isoler les murs pour écouter ta musique en toute tranquillité, même en pleine nuit.

b) tu as installé une « petite » chaîne de... 1,50 mètre de haut et 2,30 mètre de large, et tu ne comprends toujours pas pourquoi ta mère devient folle rien qu'en la regardant.

Le cadeau dont tu rêves mais que tu n'as jamais osé demander...

a) une encyclopédie multimédia sur la musique.

b) un studio d'enregistrement avec un orchestre.

Tes vacances idéales...

a) loin de la foule, avec pour seule compagnie, la symphonie parfaite de la nature.

b) le lieu importe peu, pourvu que tu aies ton baladeur, ta chaîne portable, tes CD préférés et une cinquantaine de magazines et de jeux interactifs sur la musique.

Quel métier rêves-tu d'exercer plus tard ?

a) tu n'as pas encore d'idée précise... mais tu aimerais qu'il ait un rapport avec la musique.

b) musicienne ou chanteuse ou DJ ou rock star ou productrice dans une maison de disques... ça laisse le choix, non ?

Un **musicomane** est une personne qui a une passion exagérée pour la musique.

Un **musicophile** (ou **mélomane**) est une personne qui aime et apprécie énormément la musique.

Un matin à la plage, tu ramasses dans le sable...

- une vieille bouteille couverte de mousse. À l'intérieur, il y a un vieux parchemin comportant une mélodie de la Renaissance... Quelle émotion !
- un CD de ton groupe préféré, encore emballé sous cellophane. Avec une dédicace... Chance ou destin ?

Aux fêtes que tu organises, on ne peut pas manquer...

- l'ami timide mais super doué (genre Timmy) qui s'occupe de la musique et du mixage.
- une stéréo professionnelle à faire pâlir les discothèques, avec de la musique à gogo.

Ta déclaration d'amour idéale...

- une chanson magique, pensée et écrite pour toi seule.
- elle apparaît sur l'écran géant pendant un concert de rock... 1 000 battements de cœur à la minute !

Résultats

Tu as compté quelle est la lettre qui revient le plus souvent ?
Bien. Maintenant, lis ton profil.

Musicophile

Majorité de a

Comme presque toutes les filles de ton âge, tu aimes écouter de la musique et tu le fais avec passion, en y mettant tout ton cœur. Mais tu n'aimes pas l'excès, même en musique. Tu es une passionnée modérée. Tu te laisses aller avec élégance et raison.

Musicomane

Majorité de b

Tu te laisses totalement emporter par tes musiques préférées ! Avec elles, tu oublies le reste : c'est bien, parce que tu es heureuse... mais attention ! Parfois elles t'éloignent de la vraie vie. Un conseil ? Consacre aussi du temps au reste.

Si tu aimes la musique, tu ne peux pas ne pas l'aimer. Si tu l'entends, tu ne pourras plus l'oublier. De qui peut-il bien s'agir ? Johannes Chrysostomus Wolfgangus Theophilus (incroyables, ces noms de baptême !)... dit Mozart ! D'après ce que je sais, il préférait se faire appeler Wolfgang, à l'allemande, et Amadeus, version latine de Theophilus. En famille, son père et professeur l'appelait Wolfi, qui veut dire « petit Wolfgang ». Pourtant, il n'avait rien de petit !

Question : « Illustre maestro, vous êtes né en 1756 dans la famille de Leopold Mozart et Anna Maria Pertl : quels sont vos souvenirs d'enfant ? »
Réponse : « Nous étions 7 enfants, mais malheureusement, 5 sont morts et je suis resté seul avec ma sœur Nannerl (Maria), mon aînée de 5 ans. Je me souviens de la tendresse de ma mère et de la sévère éducation de mon père, qui nous a orientés vers la musique car lui-même était un musicien passionné. »

Question : « Ensuite, enfant prodige, vous n'avez que 5 ans lorsque vous obtenez vos premiers succès ! Qu'en pensez-vous ? »
Réponse : « Aujourd'hui, avec le recul des siècles et la maturité... je repense à ce petit garçon formé comme un singe savant : je suis seul, loin de ma mère et des jeux de mon âge, emmené en tournée dans toute l'Europe, applaudi et envié. Je donne mon premier concert public

à Salzbourg le 1er septembre 1761. Ma sœur et moi sommes invités dans les plus beaux palais et les cours les plus prestigieuses. Dans sa résidence d'été de Schönbrunn, l'impératrice Marie-Thérèse nous offre des costumes princiers. Musique, applaudissements et voyages : voilà mon enfance. »

Question : « Quand se produit le tournant ? »
Réponse : « Ma personnalité et ma musique commencent à s'épanouir lorsque mon père se voit contraint de rester à Salzbourg pour son travail à l'orchestre de la cour. Mais cette ville est trop petite et trop provinciale à mon goût. En 1777, je fais mon premier voyage à Paris en compagnie de ma chère maman : enfin, à 18 ans, je connais un peu de liberté – et ma première fiancée ! Ma formation musicale est complète. J'ai rencontré les plus grands compositeurs et toutes les capitales d'Europe m'ont déjà couvert d'honneur et d'attention. »

Question : « Quelle a été votre plus grande transgression de l'autorité paternelle ? »
Réponse : « Ma rébellion la plus réfléchie n'est pas liée à mes choix professionnels et artistiques, mais à ma femme, Constance, que j'épouse le 4 août 1782 contre l'avis de mes proches. Le 17 juin 1783, je deviens l'heureux papa d'un petit Raimund Leopold, le premier de nos 6 enfants. J'ai perdu ma famille d'origine, mais j'en ai maintenant une nouvelle. »

Question : « Est-il vrai que vous avez inventé les premiers concerts publics payants de l'histoire de la musique ? »
Réponse : « Au lieu de me contenter de donner des concerts privés chez les nobles, j'ai décidé de devenir mon propre imprésario : ça me donnait plus de liberté et de satisfaction. J'ai donc eu l'idée de louer une salle et de réunir un petit orchestre sous ma direction, ce qui permettait d'accueillir un public plus varié. »

Question : « Un critique musical du siècle dernier a écrit : *" L'œuvre de Mozart est le contraire de sa vie : car si son existence n'a été que douleur, presque toutes ses œuvres respirent le bonheur pur. "* Qu'en pensez-vous ? »

Réponse : « Je ne peux dire qu'une chose : quand je composais, je me sentais vraiment libre et heureux. J'ai toujours été seul maître et juge de mon travail, ne recevant d'ordres de personne, même si cela exigeait parfois des sacrifices – y compris financiers. Mais sincèrement... comment pourrais-je dissocier ma vie de ma musique ? Pour moi, les deux sont liées. »

Question : « Lesquelles de vos œuvres nous conseillez-vous d'écouter ? »

Réponse : « J'aime beaucoup les concertos pour piano que j'ai composés entre 1782 et 1786, notamment les n°20 et 24 ; les sonates pour piano et violon n°33 et 40 ; l'adagio de la symphonie n°39, la symphonie n°40, aux accents inquiets, et le souffle polyphonique de la 41, plus connu sous le nom de *Jupiter*. J'ajouterais l'opéra *La Flûte enchantée*, de 1791, et enfin le *Requiem*, malheureusement resté inachevé... car une épidémie m'a ôté la vie, à l'improviste, le 5 décembre 1791... »

Oui... et ça a été une terrible perte pour la musique. Vous avez disparu très jeune, à 35 ans seulement, sans avoir épuisé votre incroyable génie créatif ! Mais rien ni personne ne pourra jamais vous ôter l'honneur et la gloire.

Monsieur Sans-Gêne ou Sir Courtois

Il y a bien longtemps, en 1552, Giovanni della Casa écrivit un célèbre traité de bonnes manières... oui, je sais, c'était le XVIe siècle ! La plupart de ses règles sont aujourd'hui totalement dépassées, mais on parle encore beaucoup de son Galatée. L'autre jour, en discutant avec Stella, j'ai découvert que dans son livre sur la magie de la mode, elle a réécrit un traité de savoir-vivre en la matière... Alors je me suis dit que j'allais essayer, moi aussi, mais pour la musique !

Respecte les oreilles des autres

Je sais que tu adores écouter la musique à plein volume, allongée sur ton lit... moi aussi, je pourrais y passer des heures ! Mais n'oublions pas que nos parents et nos voisins ont aussi le droit de se détendre... et de survivre !

Je sais aussi que les trajets en train te rendent folle si tu ne sors pas ton baladeur pour te le coller aux oreilles, avec la musique à fond... Mais observe tes compagnons de voyage : les adultes soupirent, les adolescents voudraient se venger avec leur propre baladeur, le contrôleur a l'air énervé... Alors fixe-toi une petite règle : respecte aussi les oreilles des autres, pas seulement les tiennes.

Respecte les goûts musicaux des autres

Il y a musique et musique, et chacun ses goûts. Alors si pour toi (comme pour moi), seul le rock compte... garde ton sang froid et réfléchis ! Il n'y a pas que le rock dans la vie des autres : la musique a des milliers de facettes, toutes respectables et appréciables. Leurs noms ? Respect et tolérance.

Diffuse ta musique préférée, mais avec délicatesse et sans abus

Dans ton entourage, tu es la plus informée sur les groupes, les compilations et les nouveaux sons ? Ne profite pas de ta position de supériorité, essaie au contraire de faire partager ta passion viscérale à tes amis, frères et sœurs, et même à tes parents.

La musique, c'est aussi la communication

Elle sert donc à trouver de nouvelles harmonies, avec soi-même et avec les autres. À l'école, en famille, en voyage et en groupe, ne te cache pas derrière tes écouteurs ! Utilise la musique pour révéler un peu de ton « toi » le plus secret. Oui, même à tes petits ennemis quotidiens ou à tes parents (les problèmes d'incompréhension avec eux, ça date de la nuit des temps). Prête l'oreille aux autres, et pas seulement au dernier tube de ton chanteur préféré. Laisse-toi emporter par la vie qui vibre autour de toi : tu verras qu'en plus d'être très musicale, ton existence se remplira d'affection et de joie !

La musique est ta vie... mais respecte aussi la vie sans musique de ton entourage

Il y a des gens qui vivent dans le silence et d'autres qui ne se sentent bien que dans le bruit et le chaos... Le juste milieu ? Vivre la musique avec modération ! L'important est de s'accepter les uns les autres, avec patience et sincérité.

Il y a toujours un nouveau CD à écouter... **respecte tes disques et prends soin de ceux des autres comme s'ils étaient à toi.** Ne les laisse jamais au soleil, près de sources de chaleur ou dans des lieux humides : ce sont leurs ennemis n°1. Les deuxièmes sont la poussière et les traces de doigts. Souviens-toi qu'il ne faut jamais, sous aucun prétexte, toucher ou griffer la partie inférieure d'un CD, car c'est elle qui contient les données : c'est donc le point faible du disque.

Rends toujours les disques empruntés à leur propriétaire légitime. Ne pense pas que, sous prétexte qu'ils ont été oubliés chez toi depuis longtemps, tu en es devenue propriétaire... L'oubli ne te donne aucun droit. Pas plus que le silence de leur propriétaire. Au lieu de t'attacher à ceux des autres... achète-les toi-même ! Tu feras moins de mal.

Je peux t'assurer d'une chose : si tu suis ces règles, tu passeras toujours pour... une vraie « gentlewoman* » de la musique !

Gentlewoman : petite variante personnelle du mot anglais *gentleman*, qui signifie « gentilhomme, monsieur bien élevé ». Woman veut dire « femme »... une vraie dame qui sait vivre !

Une grande famille

Un grand orchestre est exactement comme une grande famille : chacun a son propre rôle, et même sa place ! Pour obtenir un orchestre symphonique complet, il faut au minimum 80 musiciens (et au maximum... plusieurs centaines !). Certains jouent la même chose au même moment et d'autres, au contraire, utilisent des notes de différentes hauteurs avec différentes mélodies... mais le tout se fond magnifiquement ensemble – sinon, quelle **cacophonie*** ça ferait !

Tous les musiciens sont dirigés par le **chef d'orchestre**, qui sert de guide.

Je peux te citer le nom de deux chefs d'orchestres extrêmement célèbres : Arturo Toscanini (1867-1957) et Herbert von Karajan (1908-1989).

Passons maintenant aux instruments. Il en existe de toutes sortes. Pour apprendre à les reconnaître, il suffit de penser à les regrouper en trois grandes familles : à cordes, à vent, à percussion.

Les cordes

comprennent tous les instruments qui produisent un son grâce à des cordes (violon, viole, contrebasse, violoncelle, harpe). Les tous premiers instruments à cordes furent les harpes.

Les vents

La famille des instruments à vent se subdivise en bois et cuivres, selon la matière dans laquelle ils sont fabriqués. Les bois sont la flûte, la clarinette, le piccolo, le hautbois, le cor anglais, le basson et le contrebasson. Parmi les cuivres, on trouve le cor, la trompette, le tuba et le trombone.

Les percussions

Les instruments à percussion comprennent : tambour, cymbales, grosse caisse, triangle, timbales, castagnettes, xylophone, célesta... c'est-à-dire, tous les instruments sur lesquels il faut taper pour produire un son.

Cacophonie vient du grec classique *kakos*, « mauvais », et *phonê*, « voix », et désigne un ensemble de sons discordants et peu harmonieux.

Winx Club™

Pourquoi pas ?!

Monte ton propre orchestre !

Ça te paraît difficile, hein ? Évidemment, ça le serait... si on voulait reproduire exactement les sons d'un grand orchestre ! Mais celui que je te propose de monter est un orchestre « maison ». Donc, pas de panique ! L'objectif est d'être entre amis et de jouer sans règle, mais avec plein d'imagination.

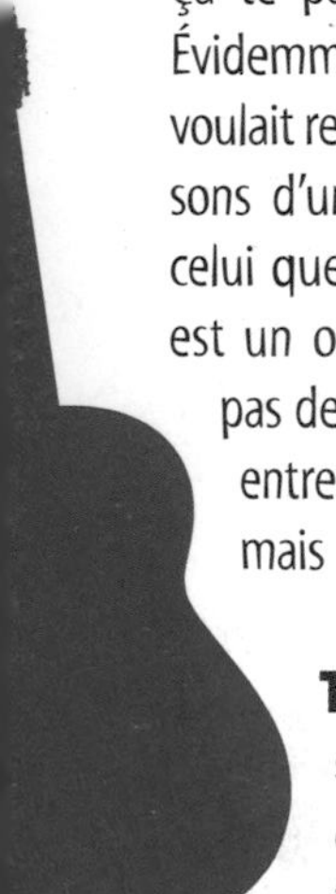

Tu veux une guitare sympa ? Prends une boîte à chaussures (ou à bottes) et des élastiques de différentes épaisseurs. Ensuite, perce un trou rond dans le couvercle et fixe les élastiques autour de la boîte, bien tendus. Maintenant, essaie de jouer.

Si, à l'improviste, arrive une amie, qui n'a jamais touché un instrument et qui est un peu timide... voilà l'instrument idéal pour elle, facile et tout petit : fixe un rectangle de papier de soie autour des dents d'un peigne (en bois, c'est mieux), puis dis-lui de souffler sur le papier... ton peigne produira un son original !

Tu adores le violon, depuis toujours, mais tu sais que tu n'as pas la constance nécessaire pour apprendre à en jouer ? C'est le moment idéal : cherche une boîte rectangulaire (une boîte à cigare fait parfaitement l'affaire) et tailles-y un trou assez grand au cutter (gare à la lame !). Au milieu du couvercle, perpendiculaire à la longueur, fixe une longue planchette : ce sera le manche de ton violon. Ensuite, visse quatre crochets tout au bout de la planchette, et quatre autres à l'extrémité opposée, sur la boîte. Relie les crochets entre eux par quatre fils de nylon. Les crochets doivent pouvoir tourner, pour te permettre d'accorder ton instrument magique (c'est-à-dire tendre ou détendre les cordes au besoin). Il manque quelque chose... Bon sang, mais c'est bien sûr ! Quelle tête en l'air : il te faut un archet ! Prends un petit bâton légèrement courbé sur lequel tu tendras, avec des nœuds ou des clous, quelques crins résistants.
Et voilà : le violon est prêt, tu n'as plus qu'à l'essayer !

Pas d'orchestre sans tambourins ! C'est vrai, quoi... En plus leur son est vraiment sympa. Allez, c'est parti : regroupe plein de capsules de bouteilles en métal et colle-les dos à dos, deux par deux. Ensuite, tu n'as plus qu'à fixer ces paires tout autour d'un moule à tarte en aluminium. Tu entends les joyeux sons produits par ton tambourin ? Et il a été si facile à réaliser !

Pour finir, n'oublions pas les bouteilles musicales : un grand classique de la fabrication d'instruments « faits main ». Procure-toi huit bouteilles de verre identiques. Laisses-en une vide, puis remplis les autres avec de l'eau, en en versant un peu plus dans chacune, de façon à ce que l'air restant à l'intérieur produise un son différent. Pour frapper les bouteilles et les faire sonner, tu peux prendre une fourchette en inox ou en argent, ou encore un bâton. Quelle bouteille donnera le son le plus grave ? Essaie, tu verras ! Je ne veux pas te gâcher la surprise.

Qu'est-ce qu'il manque ? Juste plein d'amies pour jouer avec toi, dans un coin tranquille où vous pouvez faire du bazar – pardon : jouer comme des folles sans retenue... et sans gêner personne ! Pour votre plus grande joie !

À la recherche de drôles d'instruments

Info magique :

L'ethnomusicologie est la science qui étudie les traditions musicales des différents peuples de la Terre. Une matière aussi vaste que le vaste monde ! C'est pourquoi, pour classer les milliers d'instruments inventés au cours des siècles par le génie populaire, les spécialistes les ont divisés en quatre grandes catégories : **idiophones** (tous ceux qui génèrent des sons par la vibration de leur corps), **membraphones** (le son est produit par une membrane tendue sur une caisse de résonance... comme le tambour ou le tam-tam), **aérophones** (qui utilisent l'air, soufflé par les joueurs ou par un soufflet), et **cordophones** (tous les instruments à cordes).

À la bibliothèque d'Alféa, après de longues et pénibles recherches, j'ai trouvé un gros livre, très lourd mais très intéressant, sur l'ethnomusicologie.

À chaque région sa musique

Un bonze sonne le gong, gros instrument à percussion originaire d'Asie du Sud-Est, formé d'une plaque de bronze ronde suspendue que l'on fait vibrer en la frappant avec une mailloche. Dans la tradition orientale, ce son est la substance originelle de l'univers... Là où il y a du son, il y a de la vie !

La musique japonaise emploie une échelle pentatonique (composée de cinq tons) et dispose d'une riche variété d'instruments : flûtes droites et traversières ; instruments à cordes comme le *shamisen* ; le *kokyu,* dont on joue avec un archet ; le gong ; le *da-daiko,* qui est un énorme tambour fixé dans un cadre richement décoré ; le *shô,* un petit orgue à bouche très semblable au sheng des Chinois.

Info magique !

Confucius a écrit : « La musique féconde graines de la vertu l'homme porte e son cœur. »

En Chine aussi, l'échelle pentatonique est en vigueur. Ses notes s'appellent *kong, tchi, chang, yu* et *kyo.* Les anciens orchestres chinois étaient composés de plus de 150 musiciens, avec des instruments de toutes sortes, dont le plus typique était le *lithophone,* constitué d'une série de dalles de pierre de dimensions croissantes suspendues à un cadre... Les sons étaient produits par percussion au moyen d'une mailloche. On utilise également les clochettes, le gong, les timbales et différents types de tambours.

En Inde, la musique est toute inspirée de la tradition religieuse hindoue : il y a les *ragä,* brefs motifs musicaux invariables qui reflètent chacun des états de l'âme et sont exécutés à des moments bien précis. Le *sitar,* l'instrument national, est une sorte de guitare à cordes pincées. Il est souvent accompagné d'autres instruments typiques des formations indiennes : le *tablä,* espèce de tambour, et la *tambura,* sorte de luth au long manche.

L'Indonésie est le point de rencontre des deux plus grandes civilisations asiatiques : la civilisation chinoise et la civilisation indienne. Ce pays a donc développé une culture musicale originale, fondée sur la polyphonie*. Les notes sont au nombre de sept, mais la quatrième et la septième sont rarement utilisées.

Les célèbres *gamelans*, orchestres traditionnels d'instruments à percussion, accompagnent les processions de jeunes danseurs réalisant des figures complexes en se tenant par la main.

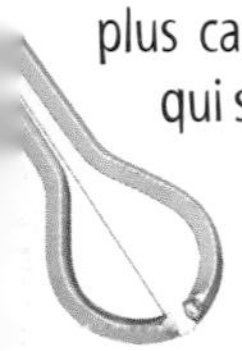

En Italie, les instruments les plus anciens et les plus caractéristiques sont : la *guimbarde* sicilienne, qui se compose d'une langue de métal fixée sur un cadre que le joueur tient entre ses dents, et dont il tire une musique très particulière ; la *zampogna*, une cornemuse à deux tuyaux typique de la tradition de Noël dans la péninsule ; le *putipù* napolitain, exemple classique de tambour à friction.

L'Écosse résonne du son caractéristique des *cornemuses*... difficile à décrire si tu n'en as jamais entendu !

En Russie, on utilise fréquemment la *balalaïka*, sorte de luth à forme triangulaire dont le nom signifie « bavarder dans le vide ».

En Grèce et en Turquie, on peut encore entendre le son de l'antique *fidula*, petit instrument à cordes ancêtre du violon utilisé pour accompagner les danses.

Les États-Unis sont le royaume du blues, musique lente et émouvante, mais aussi du reggae et du rap, aux rythmes cadencés. Le *banjo*, sorte de luth rond à long manche est typique du jazz des origines.

En Afrique plus que n'importe où ailleurs, la musique est liée à la vie quotidienne. Le son et le rythme des *tambours* sont aussi une danse. Sur ce continent, le roi des instruments est donc tout naturellement le tambour, qui peut avoir plusieurs formes et servir également de moyen de communication.

Dans les **Caraïbes**, il est typique de voir des musiciens jouer du *steelpan* : cet instrument inventé au XXe siècle se compose de barils de pétrole vides au couvercle plus ou moins courbé pour obtenir mille sons différents. L'effet est incroyable !

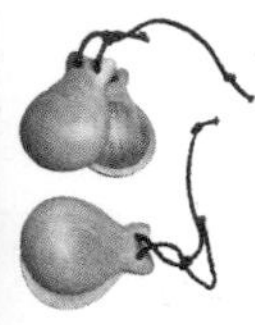

En Espagne, la musique est souvent accompagnée du son caractéristique des *castagnettes*. Quant au *cymbalum*, c'est un instrument à cordes typique (avec le violon) de l'orchestre tzigane.

L'instrument le plus original de **Suisse** est le *cor des Alpes*. Très long (environ quatre mètres, certains allant même jusqu'à treize !), il est entièrement en bois et sert à rappeler les gardiens de troupeaux d'une vallée à l'autre. Les Helvètes organisent de véritables concerts dans la nature !

Traditionnellement, les habitants du Tyrol (une région des Alpes), ne chantent pas : ils yodlent. Ce type de chant très particulier était anciennement utilisé pour se faire entendre de très loin dans les vallées... son mot d'ordre est donc : hurler, hurler ! Le verbe « *yodler* » vient de l'allemand et signifie : « crier yo ».

La **polyphonie** est une musique vocale ou instrumentale à plusieurs voix ou à plusieurs instruments.

Magic Music Store

En plein cœur de Magix, l'enseigne lumineuse d'un magasin de musique purement magique rayonne de mille feux. Inutile de te dire que j'y vais souvent ! Je pourrais y passer tout mon temps libre... et y dépenser mes économies ! Heureusement, j'arrive encore à me maîtriser ! Qu'a-t-il de si spécial ? C'est un lieu enchanté, comme Magix. Entre avec moi, tu verras...

Le Magic Music Store est gigantesque et magnifique.

Info magique !

Combien existe-t-il de genres musicaux ? Autant que de jours dans l'année ? Plus ? Autant qu'il existe d'instruments ? Sûrement moins... Mais c'est sûr, il y a énormément de genres, plus ou moins importants et célèbres, mais toujours captivants !

Commençons au hasard par le... rock L'espace du rock est bruyant et frénétique. Il y flotte un air de contestation et de rébellion, celui qui accompagne ce genre dans toutes ses expressions depuis sa naissance.

La naissance du rock, dont Elvis Presley est le roi incontesté, est l'événement musical le plus important des années 1950. Le rock donne enfin une voix à un public jusque-là ignoré : celui des adolescents ! Le rock, qui était à l'origine un mélange du *rhythm and blues* des Noirs et de la musique *country* des Blancs, s'est divisé au cours des dernières décennies en de nombreux sous-genres, caractérisés par les techniques d'amplification électronique et l'accentuation du rythme : le rock folk, le rock country, le hard rock* et le soft rock, le punk*, le rap (fin des années 1960, sans groupe, avec juste une boîte à rythme et des platines), le grunge (mélange de pop et de punk, années 1990).

Les constantes ? Agressivité du rythme et pur plaisir du son. C'est presque un code secret entre amateurs !

Enflammant les jeunes du monde entier, le rock est devenu une véritable culture.

Stars !

Elvis Presley ; Little Richard ; Bob Dylan ; les Rolling Stones ; Jimi Hendrix ; Patti Smith ; Bruce Springsteen ; U2 ; Simple Minds ; Stevie Wonder ; Dire Straits ; Led Zeppelin ; Pink Floyd ; Metallica ; Nirvana ; R.E.M. . . .

Info magique !

Des concerts de musique dans les stades ? Une pratique typique de notre époque, qui n'est pas réservée qu'à la musique pop, mais à tous les genres. Imagine un peu les œuvres du grand Beethoven jouées en plein air !

Du **hard rock** est né le heavy metal, très dur et extrêmement rebelle.

Le **punk** est un style de rock primitif et enragé, mais aussi socialement engagé.

Juste à côté, on trouve l'espace consacré à la pop* ! Jetons un œil... L'ambiance y est plus détendue, plus intime, plus réfléchie. Muettes d'admiration, regardons et écoutons les mythiques... Beatles ! Ils chantent Michelle... Comme nous, une foule de jeunes clients écoute, captivée. C'est tout le secret de la pop : captivante et facile à retenir.

C'est justement aux Beatles que l'on attribue la naissance de ce genre. D'origine anglo-saxonne, la musique pop a conquis le monde en intégrant les influences des différentes cultures. Mais ses caractéristiques demeurent : elle est mélodieuse, largement diffusée et commerciale*.

Stars !

Les Beatles ; Frank Sinatra ; David Bowie ; Donald Fagen ; Janet Jackson ; Joan Baez (folk-pop) ; Blur ; Oasis...

Et maintenant ? Ça te dit, le coin jazz ? Atmosphère enfumée et tamisée, rythme enveloppant et irrésistible... Au centre, de petits spots de couleur éclairent... Ornette Coleman* ! Avec son saxo magique, il joue *Free Jazz*, son album passé à la postérité !

Le jazz est une musique instrumentale et improvisée née à la Nouvelle-Orléans au début du XXe siècle. Apporté en Europe par les soldats américains à la fin de la Première Guerre mondiale, il est devenu un phénomène mondial.

Info magique !

La musique électronique est un pur produit de notre époque : générés par des appareils spéciaux, les sons sont ensuite modifiés et combinés avec des tables de mixage multipistes, et enfin stockés sur bande magnétique.

Le jazz puise ses origines dans l'improvisation et l'absence de règles musicales car c'est l'expression du peuple Noir oppressé, donc une expression sans paroles. De là découlent, par ordre chronologique : le blues (chant, soliste profane), le spiritual (chant choral et religieux), le ragtime, le dixieland, le swing* (période classique et âge d'or), le be-bop (aux rythmes tendus), le cool jazz (calme et raffiné, fin des années 1940), le funk* (seconde moitié des années 1950, triste et dur), le free jazz (libéré des règles du passé).

King Oliver ; Louis Armstrong ; Bix Beiderbecke ; Duke Ellington ; Art Tatum ; Charlie Parker ; Dizzie Gillespie ; Miles Davis ; Ornette Coleman ; John Coltrane ; Don Cherry ; les Blues Brothers ; Aretha Franklin ; Otis Redding . . .

Il y a bien d'autres secteurs à visiter, comme celui, immense, consacré à la musique classique, avec ses « monstres sacrés » et ses talents géniaux. Ce magasin de musique est le plus fourni de tout Magix... et le plus magique ! Je sais ce que tu penses : « Si seulement on avait ça chez nous ! » Tu as raison, mais peut-être que ça viendra, va savoir ?

Le terme **pop** vient du mot anglais *popular*, c'est-à-dire « populaire ».

Musique commerciale : musique légère souvent imposée par l'industrie du disque qui la « consomme » rapidement pour pouvoir proposer de nouveaux produits similaires à commercialis

Ornette Coleman, né en 1930 au Texas, joue un jazz libre et nouveau, énergique et improvi

Le terme **swing** est si bien entré dans la langue parlée qu'il a pris le sens de « avoir du rythm

Le terme anglais **funk** signifie « peur, dépression ». Ce style musical a ensuite donné naissance à un courant artistique aux États-Unis dans les années 1960.

Ouvrons le bal !

Si la musique est l'harmonie des sons, la danse est celle des mouvements. Ensemble, elles apportent du bonheur à l'homme depuis la nuit des temps ! Tu es prête ? On se lance sur la piste ?

La cucaracha
est une danse et une musique populaire mexicaine accompagnant les fêtes et les bals. C'est un mot espagnol qui signifie... « cafard » ! Beurk... Mais peut-être que ces petits animaux sympathiques savent danser ? Hi hi, je plaisante... !

Le be-bop
est une danse moderne au rythme rapide. C'est un mot anglais inventé précisément pour évoquer ses sons les plus typiques : originaux, désordonnés et incohérents, comme le jazz dont il découle. Car le be-bop est bien une forme de jazz, avec liberté instrumentale, originalité des thèmes et... discontinuité des notes !

Le fox-trot
est né aux États-Unis, presque en même temps que le jazz. On le reconnaît à son rythme caractéristique, dont les accents irréguliers tombent sur n'importe quel temps. Au début, il existait un fox-trot lent, appelé *slow fox* (slow veut dire « lent » en anglais), mais à partir de 1922, il se déchaîne et donne naissance au...

Charleston

Eh oui ! Il engendre le Charleston, danse extrêmement reconnaissable justement à ses rythmes rapides et aux mouvements effrénés des jambes. Magnifique à voir, mais très fatigant à danser !

Le boogie-woogie

arrive en Europe vers la fin de la Seconde Guerre mondiale : les danseurs et les passionnés s'agitent furieusement sur son rythme rapide en réalisant des variations acrobatiques.

Le rock'n roll

Plus récent, mais néanmoins descendant direct du boogie-woogie, son nom signifie « balance et roule ». C'est une danse, mais aussi un genre musical ultra-connu, qui s'est imposé aux États-Unis aux alentours de 1955, puis s'est peu à peu répandu dans le monde entier. Le rock'n roll, d'abord phénomène de mode, est rapidement devenu un... phénomène culturel ! Un changement qui secoue l'ensemble de la population. Comme je te le disais, pour les jeunes, le rock'n roll est immédiatement devenu un symbole de rébellion. Tu as déjà essayé de le danser ?

Le tango

Le tango est une danse populaire argentine. Né dans les faubourgs de Buenos Aires au début du XXe siècle, il a immédiatement fait des ravages dans toute l'Europe, au point d'être nommé, dans les années vingt, « danse du siècle ».

La valse

Née au XIXe, son nom vient de l'allemand *waltzen* qui signifie « danser en rond ». C'est l'une des danses les plus célèbres du monde.
Au début, elle marque une révolution : pour la première fois, hommes et femmes dansent dans les bras l'un de l'autre... un véritable scandale pour l'époque ! La valse a inspiré de grands compositeurs, à commencer par Johann Strauss, suivi de Chopin, Weber, Debussy, Ravel, Tchaïkovski...

Et puis il existe toutes les danses, nombreuses et fascinantes, d'Amérique latine. Voici les plus célèbres :
la rumba, d'origine afro-cubaine ;
la biguine, variation lente de la rumba ;
la samba brésilienne, populaire et répandue ;
le cha-cha-cha, frère de la samba mais plus lent ;
le meneito, danse d'aujourd'hui, amusante...

L'Espagne offre elle aussi des exemples classiques de danse :
le fandango, typique d'Andalousie, en trois temps et accompagné de castagnettes ou de guitare ;
le flamenco, fascinant et difficile ;
la jota, la malagueña ;
le bolero, dont l'exemple le plus célèbre est celui de Maurice Ravel (1975-1937).

Le yé-yé

Danse très animée au rythme... yé-yé (tiens donc !), musique typique de la première moitié des années 1960. Le mot désigne aussi l'attachement à la mode des jeunes de l'époque.

Sur la pointe des pieds...

Quelle fille n'a jamais rêvé, ne serait-ce qu'une fois, de devenir danseuse étoile dans un corps de ballet classique ? Peut-être moi... mais seulement parce que je préfère le rock et le rap et toutes les musiques un peu frénétiques de notre époque ! Enfin, en tout cas, le ballet avec tutu et chaussons en satin reste un rêve pour beaucoup et une passion pour de nombreux amoureux de la musique classique et de la danse.

Le corps est le véritable instrument

Né à la Renaissance dans les somptueuses cours des rois de France et d'Italie, le **ballet** ne cesse de grandir et de se perfectionner tout au long du XVIIIe siècle. Le XIXe siècle voit la création, à Saint-Pétersbourg, des fabuleux chefs-d'œuvre de Tchaïkovski : *Le Lac des cygnes*, *La Belle au bois dormant* et *Casse-noisette*, qui font encore rêver des publics entiers.

Quelle est la chanson française la plus vendue au monde ?

Avec plus de 145 millions d'exemplaires vendus et 1 043 versions dans le monde entier, c'est sans doute l'inoubliable *Comme d'habitude* de Claude François (devenue *My Way* en anglais).

D'après toi, **qui a reçu le plus de disques d'or et de platine** à ce jour ? Pense à un chanteur extrêmement célèbre et qui a marqué son temps... Mais oui ! Bravo ! C'est Elvis Presley !

Quels sont les instruments les plus anciens (ou presque) ?

Les cornemuses ! Ce sont les dinosaures du monde musical : les Romains les utilisaient déjà dans leurs orchestres militaires. Elles émettent un son bas, monotone et profond, produit par l'air expulsé du sac au travers des tuyaux.

Qui a inventé le gramophone et quand ?

Thomas Edison, qui a breveté cette invention en 1878.

Quelle est la chanson la plus populaire du monde ?

Logique et un peu facile... c'est *Joyeux anniversaire* !

Quel est le plus grand instrument de musique ?

L'orgue, composé de nombreux tuyaux de différentes dimensions. Ceux qui ne mesurent que quelques centimètres produisent les notes aiguës, et les plus hauts émettent les notes graves. L'orgue le plus grand du monde se trouve à Atlantic City, aux États-Unis : il se compose de 12 claviers et de 33 112 tuyaux !

Quel est l'instrument le plus aigu ?

Le piccolo, une flûte minuscule au son pénétrant et aigu.

Quel est, d'après toi, l'instrument le plus répandu au monde ?

Le tambour ? Eh oui ! Il en existe de toutes sortes, on peut les frapper de différentes façons, et ils produisent des sons toujours différents selon la tension de la membrane qui les recouvre.

Qu'est-ce que l'échelle musicale ?

Elle n'a pas grand-chose à voir avec les échelles communes, si ce n'est qu'on la monte et la descend, et qu'elle se compose de sortes de marches... les notes ! Ces notes-marches, au nombre de 7, sont disposées à intervalles réguliers et s'appellent do, ré, mi, fa, sol, la, si.

Comment fonctionne le piano ?

Cet instrument se compose d'une ribambelle de petits marteaux et de cordes. À chaque fois que l'on appuie sur une touche, un marteau recouvert de feutre vient taper la corde correspondante. La corde vibre et émet un son plus ou moins fort selon l'intensité avec laquelle on a frappé la touche.

Comment s'écrit la musique ?

À la main, sur des cahiers imprimés de portées, mais aussi avec des machines à écrire spéciales ou, bien sûr, à l'ordinateur.

De quoi se compose la musique ?

Disons qu'il s'agit d'une sorte de recette savoureuse, composée de 3 ingrédients : la mélodie, c'est-à-dire le thème, l'harmonie, c'est-à-dire les notes jouées ensemble, et le rythme, qui est l'accent musical.

Qui étaient les ménestrels ?

Quand il n'existait ni radio, ni télévision, r disques... des musiciens itinérants voya geaient de ville en pays et de forteress en château pour chanter et jouer de l musique : les ménestrels ! Entre eux, ils s communiquaient et recopiaient les chan sons, les histoires et les rythmes, et c'es ainsi qu'ils les faisaient connaître au plu grand nombre.

Une invention vraiment magique !

Ce n'est pas par hasard que ma camarade de chambre est aussi la fée de la technologie ! Quelle union magique, Techna et moi... Musique + technologie = perfection ! Hum, hum, blague à part, à force de papoter avec elle, d'écouter ses blablas (ses révisions pour les examens) et de l'aider dans ses recherches (euh... à vrai dire, c'est elle qui m'aide le plus souvent), moi aussi je suis devenue experte en inventions, y compris musicales ! Et c'est comme ça que j'ai appris ce que je vais te révéler : l'invention de l'écriture musicale.

L'histoire des civilisations est indissociablement liée à l'écriture, c'est-à-dire à l'invention de symboles graphiques représentant un sens phonétique. C'est grâce à l'écriture que le savoir se diffuse au plus grand nombre et se transmet dans le temps !

Info magique !

C'est en 1438, à Mayence (en Allemagne), que Gutenberg invente les caractères d'imprimerie mobiles. Quelques années plus tard, en 1475, les premières tentatives d'impression musicale commencent : on imprime uniquement la portée et les notes sont ajoutées à la main. À partir de 1501, la musique imprimée connaît une large diffusion, ce qui permet l'expansion de la culture musicale.

Mais t'es-tu jamais demandé qui a bien pu inventer l'écriture musicale telle que nous la connaissons aujourd'hui ?

Seule la culture européenne (et assez récemment, qui plus est) a été capable de créer un code écrit reproduisant tous les caractères du son, de l'harmonie et de la composition. Les Grecs s'y étaient essayés, mais leur système était imprécis et limité et, pendant des siècles, la musique n'a pu se transmettre que par la voix. Ce n'est qu'en 1050 après Jésus-Christ que le moine bénédictin **Guido d'Arezzo**, coordonnant les diverses inventions isolées des musicologues*, élabore enfin un système unique et intelligent permettant d'écrire et de lire la musique. Il invente en outre (quel homme !) les noms des notes. Les seules différences entre l'écriture musicale de cette époque et celle d'aujourd'hui sont que la portée se composait de 4 lignes seulement (aujourd'hui, elles sont 5), et que les notes étaient carrées alors qu'aujourd'hui, elles sont ovales.

Cette invention a eu une importance capitale ! Elle a ouvert la voie, entre autres, à la polyphonie*, permettant d'exécuter harmonieusement et simultanément des morceaux et des partitions différentes. Pour tous les musiciens, c'est une conquête incroyable !

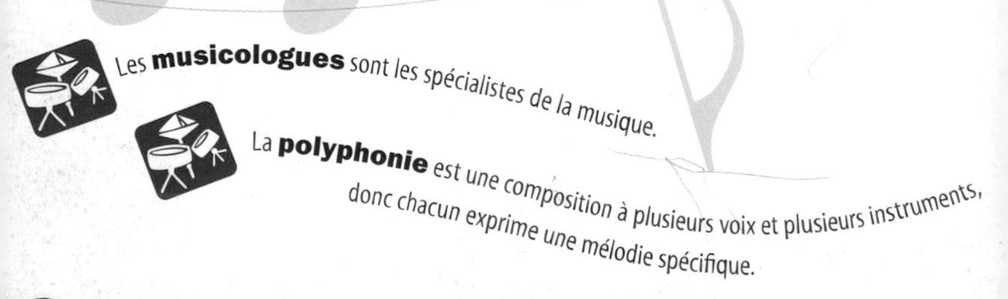

Les **musicologues** sont les spécialistes de la musique.

La **polyphonie** est une composition à plusieurs voix et plusieurs instruments, donc chacun exprime une mélodie spécifique.

Mais au fait, pourquoi... do ré mi fa sol la si ?

Je t'ai dit que ces dénominations avaient été inventées par Guido d'Arezzo en l'an 1050, mais je ne t'ai pas révélé d'où elles venaient. Guido Arezzo s'est inspiré d'un hymne religieux en latin à la gloire de Saint Jean-Baptiste. De la première syllabe de chaque vers, il a fait le nom des 7 notes fondamentales :

Ut queant laxis	**UT**
Resonare fibris	**RE**
Mira gestorum	**MI**
Famuli tuorum	**FA**
Solve polluti	**SOL**
Labii reatum	**LA**
Sancte Johannes	**SI**

Au XVIIe siècle, UT a été remplacé par **DO**.

Voici la traduction :

« Afin que puissent
Résonner dans les cœurs
Les merveilles de tes actions
Absous l'erreur
Des lèvres indignes
De ton serviteur
Ô, saint Jean ! »

Fête en musique à la mode des Winx !

conseil magique pour une

Soirée Musa

Tu veux faire la fête ? Ou célébrer ton anniversaire ?

Avec l'aide de tes meilleurs amis et de tes chers parents, tu as décidé de fêter ton anniversaire à la maison, mais tu ne sais pas comment le rendre... inoubliable et rythmé ? Ce n'est pas pour rien que je suis ta fée préférée ! Voici un miniguide pour donner à ta fête une ambiance étincelante.

Que faut-il ? Moi, j'apporte ma magie... et toi, tu mets la musique !

Le principal à faire ?

Choisis le rythme ! Ou mieux encore, le genre de musique qui servira de thème à ta fête : mélodique ou techno, pop ou rock, soft ou assourdissante, moderne ou classique.

Une fois que tu as décidé du genre, il ne reste plus qu'à trouver le couple magique. Qu'est-ce que c'est ? Eh bien, chaque son peut être associé à une couleur... Depuis des siècles, on étudie la possibilité d'assortir les couleurs aux sons. Tu veux des exemples illustres ? À l'époque romantique, Wagner* a mis en scène les premières expériences d'utilisation conjuguée des sons et des couleurs pour souligner les sensations et les émotions. Le mouvement futuriste*, lui, a fait de cette recherche expérimentale l'un de ses objectifs.

Tu as choisi la couleur correspondant à la musique de ta soirée ? Parfait ! Maintenant, si tes parents te financent, achète des assiettes et des verres en plastique ainsi que des ballons, le tout dans des couleurs coordonnées à ton thème musical.

Et les invitations... si tu les préparais toi-même ?
Procure-toi des bristols de 50 x 70 cm (un par invité) de couleur coordonnée au thème de ta soirée, et découpe-les en cercles de 12 cm de diamètre.
Ensuite, au cutter, découpe au centre de chaque cercle un autre cercle de 1,5 cm de diamètre.
Décore chaque cercle aux couleurs de la fête, ou encore avec une photocopie d'une photo de toi. Dans ce cas, colle la photocopie sur le carton avant de le découper ! Dessus, rédige au feutre doré ou argenté une invitation sympathique... laisse libre cours à ton imagination !

Le **bleu nuit** se marie avec les intonations douces et mystérieuses du blues.

Le **rouge**, étant la couleur la plus vive de toutes, s'accorde parfaitement avec mon rock adoré, qui exprime le sentiment de liberté et le défoulement des jeunes !

Le **vert**, couleur relaxante et naturelle, s'accorde avec la musique New Age (« nouvel âge »), genre musical (et pour certains, véritable mode de vie) très à la mode ces derniers temps. La musique New Age utilise des sonorités prises directement dans la nature.

L'orange va très bien avec la musique pop, proche du rock mais beaucoup moins dure, plus mélodieuse et aux textes plus doux que son cousin enragé (mais fascinant !).

Et voilà, tes CD-invitation sont prêts !

Une dernière idée magique sur le thème ? Prépare des amuse-gueules colorés en forme de note de musique ! Joli, non ?

Invitati
pour un ami spé
cial !
ciale...

Au travail !

Ingrédients :
1 ou plusieurs paquets
(en fonction du nombre d'invités)
de pain de mie
1 tube de mayonnaise
colorant alimentaire (choisis la coule
la plus adaptée à la musique de ta fête)
1 petite bouteille de ketchup
1 ou plusieurs sachets d'olives **dénoyauté**
1 tranche de **mortadelle**, bien épaisse
du saucisson de sanglier ou de cerf
(si tu es plus traditionnelle, le saucisson de porc va bien aussi)

Coupe les tranches de pain de mie en deux, puis taille dans chaque moitié une belle note de musique. Comment ? Eh bien, découpe la forme d'une note dans un carton rigide pour t'en servir de gabarit. Tu n'as plus qu'à le tenir fermement sur les tranches pour tailler le pain en tournant autour avec un couteau.

Mélange le colorant alimentaire avec la mayonnaise. Étale le mélange coloré sur la moitié des notes. Sur l'autre moitié, étale du ketchup. **Dispose sur chaque note une tranche de saucisson.**

Découpe la mortadelle en dés et enfile un dé et une olive sur des cure-dents. **Complète** en piquant un cure-dent garni sur chaque note. Voilà, tu as des amuse-gueule musicaux et savoureux !

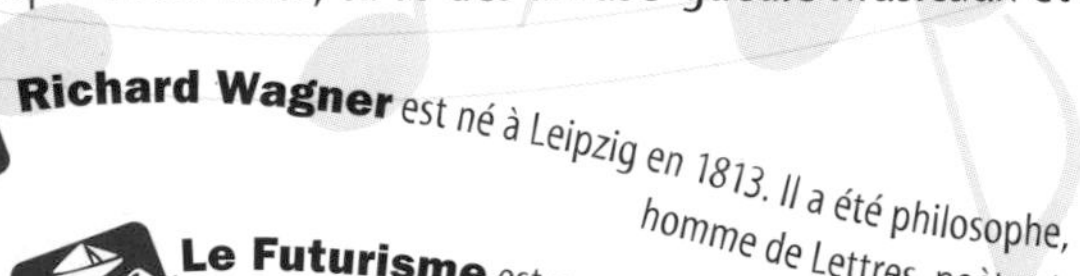

Musique, maestro ! Les supports

La « préhistoire des supports » pourrait être symbolisée par les disques vinyle. Plus ou moins grands, ils sont noirs et brillants avec un trou au centre pour s'encastrer dans le lecteur. Ils sont gravés d'un sillon sur lequel court la pointe du diamant pour lire les sons (à 78, 45 ou 33 tours/minute). Ils ne peuvent reproduire des sons à plus de 22 KHz*.

Seule alternative ? La musicassette, légèrement plus jeune, mais qui souffre de froissement et perd très rapidement sa qualité originale.

Début des années 1980 : le tournant ! Philips invente le support CD, sigle de « *compact disc* », donc un disque compact pour la reproduction audio. C'est une vraie révolution !
Dans le CD, le son est enregistré de façon numérique, et on peut stocker jusqu'à 80 minutes de musique de haute qualité : à 44 KHz et... sans perturbations ! Quel progrès ! En plus, le CD est inaltérable.

KHz est l'abréviation de kilohertz, qui est une unité de fréquence. L'oreille humaine entend de 20 à 20 000 hertz.

Info magique !

Le support CD est également utilisé comme unité de stockage de données informatiques, réussissant ainsi à augmenter les capacités jusqu'à 700 Mo (méga-octets)... fantastique pour les logiciels, les encyclopédies et les films courts.

Aujourd'hui, il existe de nouvelles possibilités. Le monde des supports ne cesse d'évoluer. Notre jeune génération voit arriver :

Le VCD

C'est le sigle de « *Video Compact Disc* » : il s'agit d'un CD qui peut contenir des films, des images et des sons. Sa qualité est très proche des VHS classiques, grandes vidéocassettes qui contiennent les données sur une bande magnétique à l'oxyde de fer. Mais le VCD est informatisé.

Le DVD*

Sigle de « *Digital Versatile Disc* ». C'est un support optique novateur qui a les mêmes dimensions physiques qu'un CD, mais qui peut contenir une quantité de données trèèès supérieure !

Le SACD

Sigle de « *Super Audio Compact Disc* ». C'est une évolution du CD, dont il conserve les caractéristiques principales, avec une meilleure qualité de son. Mais il ne peut être lu que sur des lecteurs spécifiques, qui ne sont pas encore très répandus.

CD contre DVD : le second présente une densité supérieure de lignes de lecture optique. Par conséquent, la capacité des DVD est 7 fois supérieure à celle des CD. Le DVD gagne 7 à 0 !

Cinéma et musique

Le cinéma est un art aux confins de la réalité, presque magique... Et depuis sa naissance, il utilise la musique pour accroître encore la magie de son illusion.

À ses débuts, une bande sonore était nécessaire pour couvrir le grincement de la manivelle des projecteurs qui faisaient tourner les films. Mais la musique n'était pas enregistrée sur la bande, alors un pianiste venait jouer en direct dans la salle pour « sonoriser » les films... Incroyable, non ?

À partir de 1928, on commence à enregistrer la bande sonore directement sur la pellicule : les compositeurs de musique de film deviennent alors des professionnels à part entière. Imagine un peu... ce qu'aurait été *Autant en emporte le vent* sans sa célèbre bande originale ? Ou *Bird*, le film musical de Clint Eastwood, qui raconte la vie du grand musicien de jazz, Charlie Parker, et a reçu l'Oscar de la meilleure musique en 1988 ? Et que serait *Titanic* sans la merveilleuse chanson de Céline Dion ?

Info magique !

Charlie Chaplin est un cas exceptionnel : en plus d'être auteur et réalisateur de ses films, il en composait lui-même la musique !

Info magique !

Le premier ritable film so- e date de 1928 : *hanteur de jazz.* Le rôle cipal est interprété par anteur Al Jolson, et les logues alternent avec la musique...

Info magique !

Aujourd'hui, la bande sonore d'un film se compose de trois éléments : **les dialogues, les bruitages et la musique**. Cette dernière se divise en deux parties : la musique qui fait partie intégrante de l'action et la musique de fond.

Alfea, Tour-nuage ou... ?

Pour les fées en herbe comme moi, il y a Alféa. Pour les futures sorcières, il y a Tour-nuage. Et pour les aspirants musiciens, quelle école y a-t-il ? Voici quelques informations pour ceux qui ont... un grand talent musical, et pas de dons magiques !

Les écoles spécialisées où l'on enseigne la musique s'appellent les **Conservatoires**. Pourquoi ? Que... conservent-ils ? **Aux XIVe et XVe siècles,** il existait des orphelinats où l'on « conservait » les enfants abandonnés. On leur apprenait à lire et à écrire, puis on les formait à un métier. Ces instituts étaient donc appelés « conservatoires ». Le chant figurait toujours parmi les matières enseignées, au point que ces orphelinats fournissaient d'excellents chanteurs aux *scholae cantorum** des principaux centres européens. **Au XVIIIe siècle,** l'enseignement du chant et de la musique en général prenant de plus en plus d'importance, ces instituts se transforment en conservatoires musicaux. Ils perdent leur fonction d'aide sociale et prennent les caractéristiques des écoles publiques. **Aujourd'hui, le Conservatoire** est une école spécialisée dans l'enseignement de toutes les disciplines musicales. Elle est très sélective et seuls peuvent y accéder les élèves correspondant aux critères établis (par exemple, un âge défini).

Info magique !

Schola cantorum est une expression latine qui signifie « lieu de réunion des chanteurs Ce terme désigne l'école de cha et la chorale d'une église. Fondé par saint Grégoire le Grand, ce écoles ont joué un rôle décisif dans la diffusion du chant grégorien.

Les métiers de la musique

Tu adores la musique, mais tu ne sais pas quoi faire pour gagner ta vie avec ta passion ? Ta petite fée de la musique est là pour te guider :

Compositrice : une profession classique, mais qui ne disparaît jamais ! Moi, je peux te dire que c'est difficile et contraignant, et que ça exige pas mal de talent inné (même s'il n'est pas indispensable d'avoir le génie de Mozart ! Mais c'est sûr, les qualités requises sont : professionnalisme, étude, imagination, rigueur... et une solide culture musicale. On se spécialise dans un genre au choix : lyrique, cinéma, danse, spectacles et comédies musicales, musique populaire. Le compositeur écrit et enregistre ses œuvres, puis les confie à un éditeur, qui se charge de les publier et de les promouvoir.

Éditrice de musique : elle a l'exclusivité des œuvres des compositeurs et des paroliers (auteurs des paroles de chansons) dont elle achète les droits de publication. En gros, elle publie et diffuse des musiques, mais elle prend également en charge tous les frais, et reverse leurs droits d'auteurs aux musiciens. Ce qu'il faut ? Esprit d'entreprise et d'organisation, sens des affaires, capacité à découvrir de vrais talents !

Chef d'orchestre : Baguette à la main, tenue de soirée, un orchestre entier à tes ordres... Si tu aimes la musique et le commandement... ce métier est fait pour toi ! Il faut savoir interpréter avec sentiment n'importe quelle œuvre musicale. Le chef d'orchestre contrôle toutes les partitions et tous les instruments : percussions, vents, cordes...

La musicienne est une artiste qui interprète des morceaux de musique sur son instrument, seule ou avec un orchestre. Les meilleures peuvent donner des concerts solo dans le monde entier ! Les autres participent à des spectacles de variété, des récitals, des bals, travaillent dans les studios de radio, de télé ou d'enregistrement pour les maisons de disque.

La bruiteuse n'est pas une musicienne à proprement parler, mais une chose est sûre : elle est en relation quotidienne avec le son – ou plutôt, avec les sons. En effet, elle imite toutes sortes de bruits artificiels ou naturels, en les créant elle-même ou en les enregistrant dans la nature. Alors, que faut-il pour ça ? De l'imagination (énormément) et tout un tas d'accessoires (plaques de métal pour le tonnerre, récipients pleins d'eau pour reproduire le bruit des rames frappant la surface d'un lac ou de la mer...).

Technicienne du son : où travaille-t-elle donc ? Dans une cabine de verre, un studio d'enregistrement ou un camion équipé pour l'occasion. Que fait-elle ? Spécialisée dans les techniques du son, elle dirige généralement des enregistrements sonores pour la télévision, le cinéma ou la radio. Elle siège derrière le poste de commandes, à l'abri des bruits extérieurs, et manipule des outils ultra-sophistiqués pour optimiser la qualité du son enregistré. À la fin, elle s'occupe du mixage, assemblant la musique, les bruits et les dialogues. Qualités requises ? Patience, technique et sensibilité.

Le savais-tu... ?

La musique peut être jouée à différentes vitesses

Pour avoir le rythme juste, les musiciens ne se contentent pas de leur oreille musicale : ils utilisent le métronome, un petit appareil à pendule qui marque le tempo par un battement audible. Il doit son nom à J.N. Maelzel, qui l'a inventé en 1815 et l'a baptisé ainsi.

Une vraie révolution dans l'histoire de la musique ? Le phonographe, inventé par Thomas Edison en 1877, qui permet d'enregistrer des sons. Avant cette date historique, la musique ne pouvait être écoutée qu'en direct : chaque concert était unique ! Depuis, en revanche, la musique a été mise à portée d'oreille de tout le monde.

Le son le plus bas et le plus profond que l'on peut produire avec un instrument non électrique est celui de la grosse caisse. Cette percussion est le spécimen le plus puissant de la famille des tambours. Présente dans l'orchestre depuis le XVIIIe, elle est encore plus typique des formations de groupes. La grosse caisse se compose de deux peaux tendues aux extrémités d'un cylindre de bois et frappées par un maillet recouvert de cuivre ou de cuir. Dans la batterie jazz, le maillet est actionné du pied, et non de la main ! Peut-être pour avoir plus de force, et donc faire plus de bruit ? N'oublions pas que plus le tambour est grand, plus les sons produits sont bas.

Le bruitisme est un sujet original de la recherche futuriste, qui tente en 1914 de conjuguer des bruits pour créer de nouvelles sonorités. Imagine... pour la première fois, on s'intéresse aux bruits naturels ! Parmi les représentants les plus célèbres du mouvement futuriste, on trouve Filippo Tommaso Marinetti pour la littérature, Giacomo Balla pour la peinture et Francisco Balilla Pratella pour la musique.

Le premier gramophone à disques remonte à l'an 1887 ! L'inventeur de cette merveille qui tournait à la main se nomme Émile Berliner. Avec le temps, on est passé des appareils mécaniques aux appareils électriques, et le nombre de tours par minute nécessaire à la gravure a changé. En 1948, quelque 71 ans plus tard, la société Columbia Record annonce la sortie du premier disque longue durée.

Le premier micro à carbone, inventé par David Edward Hughes, voit le jour en 1877 après 22 ans d'échecs. Quelle persévérance ! C'est grâce à lui qu'aujourd'hui, de très nombreuses stars de la musique peuvent se faire entendre.

Les sons de l'orchestre se divisent en : sons aigus (flûte, clarinette), sons cuivrés (cor, trombone, trompette), sons doux (violon, alto, violoncelle, contrebasse), sons rythmés (tambour, cymbales...).

Le ragtime est le papa du jazz. Style de musique syncopé né aux États-Unis vers la fin du XIXe siècle, son nom est l'abréviation de l'anglais *ragged time,* qui signifie « rythme irrégulier, imparfait ». Comment est-il né et qui lui a trouvé son nom ? Eh bien, pendant un bal, dans un village du Sud des États-Unis, un homme de couleur demande à l'orchestre de rejouer un morceau. L'un des musiciens lui dit : « Lequel ? », et l'homme répond : « Celui qui avait un rythme *ragged...* disons un *rag time* ! » Le public a applaudi, le nom a plu et c'est ainsi qu'est né le père du célèbre jazz !

La musique est une suite, plus au moins cadencée, de sons agréables à l'oreille et à l'âme. Ils sont produits par la vibration de l'air et voyagent sous forme d'ondes invisibles. Quoi de plus magique ? Chaque son crée une onde de forme différente des autres.

Quel est le rythme de ton cœur ?

Test élaboré par Musa.
Choisis entre les réponses a, b et c, puis compte quelle lettre tu obtiens le plus souvent pour découvrir ton profil.

Test

Ton temps libre...

a je suis toujours occupée !

b je le partage équitablement entre amis, sport et loisirs.

c je cherche toujours quelque chose d'original à faire et à apprendre... pourvu que ce soit agréable !

Le voyage de tes rêves...

a le mythique *coast to coast** des États-Unis.

b un voyage à bord de l'Orient-Express, fascinant et sans arrêt.

c aller en Inde. On est différente ou on ne l'est pas !

Si tu étais une couleur, laquelle serais-tu ?

a rouge feu ! Parce que je suis volcanique.

b un beau vert vif ou un bleu ciel.

c un orange modéré ou un fuchsia tranquille.

coast to coast signifie voyager aux États-Unis en longeant uniquement les côtes. Beaucoup de touristes le font en moto, les plus aventureux en auto-stop.

Une des Trix te transforme en instrument de musique : lequel ?

a si je dois être un instrument, je choisis... la guitare électrique. Au moins, je me ferai entendre !
b un piano à queue brillant et élégant. Et accordé !
c un xylophone*, aux sons naturels et relaxants.

Pour être amusante et réussie, une fête doit être...

a chaotique, bruyante, pleine de monde et un peu folle !
b un juste mélange entre musique, buffet, papotages et amusement.
c fondée sur une idée originale et permettre d'inventer de nouvelles distractions.

Côté tempérament, tu es...

a volcanique, énergique et impulsive comme toi, ma chère Musa !
b réfléchie, timide, sage et raisonnable, peut-être comme Flora.
c je suis comme je suis ! Impossible à schématiser ! Pour mieux me connaître, il faut plus me fréquenter. Quand est-ce qu'on se voit ?

Pour conquérir ton amitié, mieux vaut...

a ne pas t'obliger à quoi que ce soit qui te déplaise et ne jamais te donner l'impression d'être enfermée.
b toujours te dire la vérité et t'aimer sans réserve.
c dire et faire des choses différentes des autres. En un mot ? T'étonner !

Le tiercé magique de ton présent :

a amour, folie, surprise.
b contes, sérénité, engagement.
c magie, originalité, poésie.

Résultats

Tu as compté quelle est la lettre qui revient le plus souvent ?

Bien. Maintenant, lis ton profil.

Majorité de a Rock

Rythme aussi rapide qu'un rock ! Tu vois mon genre musical adoré ? Eh bien, d'après moi, tu lui ressembles : tu es énergique, bruyante, passionnée, révolutionnaire !

Majorité de b Classique

Rythme aussi équilibré que la musique classique. Tu es cérébrale et mathématiquement parfaite, comme une symphonie. Tu es constante et sage, mais si tu veux, tu peux devenir plus forte et absolue. Bravo pour tes capacités et ta maturité, peu communes à ton âge !

Majorité de c Alternative

Rythme aussi alternatif que celui de la musique New Age. Tu es surprenante et toujours inventive, exactement comme ce nouveau genre musical. Tu adores la nature et son instabilité : toi aussi, tu es mobile, inconstante et agitée. Pour toi, l'anticonformisme est un choix de vie.

Le Xylophone est un instrument composé de nombreuses lames de bois fixées sur un cadre et séparées entre elles. On en joue en les frappant en rythme au moyen de petits marteaux de bois.

Je te serre bien fort dans mes bras... avec une avalanche de musique pour te tenir compagnie !
Ta Musa, pour toujours.